Roberto DaMatta

o que é o Brasil?

ROCCO
JOVENS LEITORES

Copyright © 2004 by Roberto DaMatta

Direitos desta edição reservados à
EDITORA ROCCO LTDA.
Av. Presidente Wilson, 231 – 8º andar
20030-021 – Rio de Janeiro – RJ
Tel.: (21) 3525-2000 – Fax: (21) 3525-2001
rocco@rocco.com.br
www.rocco.com.br

Impresso no Brasil/Printed in Brazil

projeto gráfico
JOHN LEE MURRAY

CIP-Brasil. Catalogação na fonte.
Sindicato Nacional dos Editores de Livros, RJ.

M386q
Matta, Roberto da, 1936-
O que é o Brasil?/ Roberto DaMatta.
Rio de Janeiro: Rocco, 2004.
(Coleção Cidadania)
ISBN 85-325-1784-6
1. Características nacionais brasileiras – Literatura infantojuvenil.
2. Brasil – Usos e costumes – Literatura infantojuvenil.
3. Brasil – Condições sociais – Literatura infantojuvenil.
I. Título.
08-2094   CDD – 981   CDU – 94(81)

O texto deste livro obedece às normas do
Acordo Ortográfico da Língua Portuguesa.

Roberto DaMatta

o que é o Brasil?

Sumário

O que é o Brasil? 7

A casa, a rua e o trabalho 13

Um racismo "à brasileira" 21

Sobre comidas e mulheres......... 29

O carnaval, ou o mundo como teatro e prazer 37

O modo de navegação social: a malandragem, o "jeitinho" e o "você sabe com quem está falando?" 45

Os caminhos para Deus 57

Palavras finais 69

O que é o Brasil?

Para entender o Brasil é preciso estabelecer uma distinção radical entre um "brasil" escrito com letra minúscula, nome de um tipo de madeira de lei ou de uma feitoria, um conjunto doentio e condenado de raças que, misturando-se ao sabor de uma natureza exuberante e de um clima tropical, estariam fadadas à degeneração e à morte; e um Brasil com B maiúsculo – um país, cultura, local geográfico e território reconhecidos internacionalmente – e também casa, pedaço de chão calçado com o calor de nossos corpos; Brasil que é também lar, memória e consciência de um lugar com o qual se tem uma ligação especial, única, muitas vezes sagrada.

Comunidade que, de tempos em tempos, celebra eventos exclusivamente seus, como o carnaval. Sociedade com valores próprios, que a tornam uma entidade viva, dotada de autorreflexão: algo que se alarga para o futuro e para o passado.

Visto deste modo, o Brasil é conhecido e misterioso, tal como ocorre com as almas do outro mundo e os deuses que estão em todos os lugares e em nenhum, mas que, embora poderosos, precisam dos homens para que possam ser superiores e onipotentes. Onde quer que haja um brasileiro adulto, existe com ele o Brasil e, no entanto – tal como acontece com as divindades –, será preciso produzir e provocar a sua manifestação para que eles possam ser sentidos e percebidos na sua concretude e em todo o seu imenso poder.

Neste texto, tento promover essa aparição e para tanto examino os aspectos mais populares e conhecidos da sociedade brasileira. Com isso, focalizo um Brasil que se faz presente na política e na economia; mas também na comida de que gostamos, na casa onde moramos e nas festas que celebramos. No fundo, trata-se de procurar muitos "Brasis". Tanto os que se definem pelas instituições formais como o Estado, a constituição, o mercado, o dinheiro, quanto o país do jeitinho, da comida, das relações étnicas, da mulher, da religião. Dos jogos espertos e vivos da malandragem e do carnaval, onde podemos vadiar sem sermos criminosos, experimentando a sublime marginalidade que tem hora de começar e de terminar.

Falarei, pois, destes "Brasis" que sabem tão bem conjugar lei com grei, indivíduo com pessoa, evento com estrutura, comida farta com pobreza estrutural, hino sagrado com samba apócrifo e relativizador de todos os valores, carnaval com comício político, homem com mulher e até mesmo Deus com o Diabo. Por tudo isso é que estamos interessados em responder a esta pergunta que embarga e que emociona: afinal de contas, o que é isso que chamamos de BRASIL?

9 O que é o Brasil?

Mas como é que sei o que sou? Como se constrói uma identidade social? Como um aglomerado de gente se transforma num Brasil? A pergunta é muito importante. É que no meio de uma multidão de experiências dadas a todos os homens e sociedades, algumas necessárias à própria sobrevivência – como comer e dormir –, cada sociedade (e cada ser humano) apenas se utiliza de um número limitado de vivências para construir-se como algo singular, maravilhoso e "legal".

Sei, então, que sou brasileiro e não americano, porque gosto de comer feijoada e não hambúrguer; porque sou muito desconfiado de tudo o que vem do governo; porque vivo no Rio de Janeiro e não em Nova York; porque falo português e não inglês; porque, ouvindo música popular, distingo imediatamente um frevo de um samba; porque para mim futebol é praticado com os pés e não com as mãos; porque vou à praia para conversar com os amigos, ver as mulheres e tomar sol, jamais para praticar um esporte; porque no carnaval trago à tona minhas fantasias; porque diante de um pesado não pode burocrático, posso dar um "jeitinho"; porque entendo que ficar malandramente "em cima do muro" é algo necessário e prático no caso do meu sistema; porque acredito em santos católicos e também nos orixás africanos e não tenho uma posição religiosa exclusiva e rígida; porque sei que existe destino e, no entanto, tenho fé no estudo, na instrução e no futuro do Brasil; porque sou leal a meus amigos e nada posso negar a minha família; porque, finalmente, sei que tenho relações pessoais que não me deixam caminhar sozinho neste mundo, como acontece com os meus amigos americanos, que sempre se veem como indivíduos!

Esses traços formam uma sequência que diz quem sou, em contraste com o que seria um americano, aqui definido pelas ausências e negativas que a mesma lista comporta. A construção de uma identidade (seja ela pessoal ou social) é feita de afirmativas e de negativas diante de certas questões. Se você descobrir como as pessoas se posicionam em face de uma lista de coisas importantes, você fará um inventário de identidades sociais e de sociedades, o que lhe permitirá descobrir o estilo e o "jeito" de cada sistema. Ou, como se diz em linguagem antropológica, a cultura daquele grupo.

Entre as muitas listas que podem ser feitas para o Brasil, duas chamam a atenção.

Numa delas, utilizamos números e tomamos as estatísticas demográficas e econômicas, os dados do PIB, PNB, os números da renda per capita e da inflação, os dados relativos ao sistema político e educacional, para constatar que o Brasil não é aquele país que gostaríamos que fosse. Essa classificação permite construir uma identidade social moderna, definida por meio de critérios precisos e "objetivos". Só que, no caso do Brasil e de outras sociedades, essa classificação por meio de números não é nem suficiente nem exclusiva, pois que é complementada por um outro modo igualmente muito usado de construção da nossa identidade.

11 O que é o Brasil?

Se as estatísticas criam uma sociedade que deixa a desejar, existem valores e instituições por meio das quais podemos ver a nós mesmos com otimismo, positivamente. É importante constatar, entretanto, que damos muito mais atenção aos números negativos, deixando de ver o lado positivo do Brasil. Isso é tanto mais surpreendente quando se sabe que não se trata nem de uma coisa nem de outra, pois o ponto de vista deste texto é que o Brasil tem que ser lido de modo complementar: tanto pelos números e pelo seu lado "moderno", quanto por suas instituições e pelo seu lado mais sensível e qualitativo. Sustento que, para entender bem o Brasil, temos que discuti-lo como sociedade e como Estado-nacional, como números e como conjunto de hábitos, valores e gestos. Algo, por sinal, que tem acontecido nos últimos anos.

A casa, a rua e o trabalho

Observe-se uma cidade brasileira. Nela, há um movimento recorrente: as pessoas vão do trabalho para casa e de casa para o trabalho. A "casa" e a "rua" interagem e se complementam num ciclo que é cumprido diariamente por homens e mulheres, velhos e crianças, ricos e pobres. O percurso pode ser realizado a pé ou de automóvel, mas todos fazem e refazem essa rotina diária que junta um sistema dividido em dois espaços sociais básicos: a casa e a rua.

A rua é o local do trabalho, do Estado, das leis e também da surpresa, da tentação e do lazer. É igualmente o lugar do movimento, em contraste com a calma e a tranqüilidade do lar onde nos refazemos da chamada "luta pela vida".

Casas são habitadas por famílias cujo núcleo é constituído de pessoas que possuem a mesma substância. A mesma carne e o mesmo sangue que legitimam um nome comum e sugerem interesses, tendências, bem como um destino compartilhados. Isso se mostra nas "tradições de família", valores resguardados, respeitados e preservados. Mesmo quando uma casa é pobre, essas tradições se manifestam em móveis, receitas culinárias ou hábitos, ajudando a distinguir aquela "gente" das outras, o que conduz a uma percepção do grupo familiar como tendo uma personalidade comum.

Não é exagero dizer que cada "casa" brasileira é uma "pessoa moral": um grupo com a capacidade de reagir em conjunto caso um dos seus membros seja atingido por algum infortúnio ou problema. Na vida diária, as "tradições" se traduzem em "obrigações" que vão das alegrias expressas na celebração obrigatória dos nascimentos, aniversários e funerais e, depois da morte, na visita aos cemitérios onde as tumbas são como que as nossas casas no outro mundo.

Por tudo isso, o grupo que ocupa uma casa tem um alto sentido de defesa de seus bens móveis e imóveis; e da proteção de seus membros mais frágeis, como as crianças, as mulheres e até mesmo os seus servidores. Pois, diferentemente de outros países modernos, no Brasil as casas possuem serviçais que são parte do seu espaço e família. De tal modo que, quando falamos da "casa" no Brasil, não estamos nos referindo simplesmente a uma residência, mas a um espaço dotado de emoção, sentimento, história e personalidade.

Mas se em casa somos classificados pela idade e pelo sexo como, respectivamente, mais velhos ou mais moços e/ou como homens e mulheres – e aqui temos dimensões sociais que são provavelmente as primeiras que aprendemos na sociedade brasileira –, nela somos também governados pelos sentimentos de "respeito", "honra" e "vergonha", e pela oposição básica entre o "fora" e o "dentro" e

15 O que é o Brasil?

o "sujo" e o "limpo". Pois são eles que orientam nossa conduta relativamente aos pais, irmãos, parentes, criados, visitantes, amigos, compadres e todos os outros para quem as portas de nossas casas estão abertas.

Por ser um espaço simultaneamente inclusivo e exclusivo, a casa pode ter agregados: pessoas que vivem no domicílio, mas que não são parte da família. Um parente que veio do Norte em busca de vida melhor; um amigo em dificuldade financeira; empregados que ali realizam algum serviço; um compadre que necessita falar com uma autoridade da grande cidade; um amigo que precisa de um santuário para evitar a prisão motivada por convicções políticas. Os animais domésticos incluem-se nessa definição, ajudando a definir e a conceituar a residência de modo positivo ou negativo. Nosso cachorro é o mais manso; o nosso gato tem o pelo mais luzidio; o nosso passarinho canta mais alto e nossas plantas são as mais perfumadas e viçosas.

Tudo que está no espaço da nossa casa é bom, belo e decente, tendo muito mais uma importante função diferenciadora, contribuindo decisivamente para estabelecer as bases de uma profunda identidade social e ajudando a conciliar a nossa existência como indivíduos marcados pela impessoalidade vigente nas cidades, onde ninguém conhece ninguém, e como pessoas que têm uma residência dada por sangue e nascimento.

A casa congrega uma rede complexa e fascinante de símbolos que são parte da cosmologia brasileira. Ela recorta um espaço amoroso onde a harmonia deve reinar sobre a confusão, a competição e a desordem. O comércio – comprar, vender ou trocar – está excluído da casa, bem como as discussões políticas que acentuam diferenças. O mundo exterior ou "público", medido pela competição e pelo anonimato, onde as coisas são imediatamente trocadas por dinheiro, é substituído por favores e presentes cujo retorno chega a longo prazo e sem cobranças, naquilo que chamamos de confiança, de amor e de lealdade, esses valores maiores da nossa concepção de parentesco. Em casa somos marcados por um supremo reconhecimento pessoal. Uma espécie de "supercidadania" que contrasta com a ausência de reconhecimento que existe na rua. Definida como "nossa", a casa acomoda os desejos de todos e as necessidades individuais de cada um dos seus membros. A grande gerência dessa hercúlea tarefa cabe à "mãe", à "esposa" ou a quem exercer esse papel. É a "mãe" quem cuida da aparência da morada como um todo e sabe o que está faltando e sobrando, bem como o que cada qual gosta e como gosta.

Como a casa não é governada pelas leis escritas do Estado, que sempre mudam, ela tem sido uma referência muito mais confiável do que as instituições públicas. Nossos almoços de domingo continuam os mesmos, ao passo que mudamos muitas vezes de regime político e de moeda... Daí o violento contraste da supercidadania da casa (onde somos os donos de normas que se inscrevem em nossos corações), em oposição à subcidadania da rua (onde somos sujeitos de leis a que temos que obedecer, a despeito dos nossos planos e vontades).

17 O que é o Brasil?

A casa provê uma leitura especial do mundo brasileiro. É certo que toda sociedade moderna tem casa e rua. Mas, entre nós, a casa ordena um universo com normas e práticas diferenciadas do domínio da rua. Num certo sentido a casa, onde somos reis e donos, nos protege da rua, onde não somos coisa alguma. Se, portanto, nas nações modernas, casa e rua (público e privado) são governadas pelas mesmas normas, no Brasil há uma sensível diferença entre as leis que governam a rua, as instituições do Estado e o espaço público em geral, e os hábitos da casa que estão nos nossos corações.

Mas como é o espaço da rua?

Sabemos que ela é local de "movimento", pois a rua se move como um rio, num fluxo de pessoas indiferenciadas e desconhecidas que nós chamamos de "povo" e de "massa". Em casa, todos têm "rosto" (e alma); na rua, os "indivíduos" possuem apenas "cara" e corpos. A rua é o espaço da "massa" que povoa as nossas cidades e que, até hoje, remete à ideia de pobreza e de exploração.

Falamos da "rua" como um lugar de "luta" e de "batalha", parte da "dura realidade da vida". O fluxo da "vida", com suas contradições e surpresas, pertence à rua, onde o tempo – medido pelo relógio, pelo calendário e pelas agendas – corre, voa e passa, fazendo história. Muito mais que no lar, onde ele fica suspenso pelas anedotas, pelos casos e pelas intrigas. Na rua não há amor, consideração, respeito ou amizade. É local perigoso, conforme atesta o ritual aflitivo realizado quando um filho nosso sai sozinho, pela primeira vez, para ir ao cinema, ao baile ou à escola. Que insegurança nos possui quando um pedaço de nosso sangue vai ao encontro desse oceano de maldade e insegurança que é a rua brasileira.

A rua compensa a casa e a casa equilibra a rua. No Brasil, casa e rua são como os dois lados de uma mesma moeda. Se a casa é baseada na hierarquia, com as pessoas escalonadas por ordem de importância, sexo e idade constituindo dimensões básicas na sua classificação – primeiro o pai (o "chefe da família"), depois os filhos e, por último, a "dona da casa" –, a rua se fundamenta na igualdade de todos perante as leis, os sinais de trânsito e uma ordem pública que se quer cada vez mais democrática. Mas como esses valores não mudam por decreto, casa e rua continuam – como dizia Gilberto Freyre – um tanto inimigas íntimas e complementares no Brasil. Assim, o que se perde de um lado, ganha-se do outro. O que é negado em casa – como a impessoalidade, a igualdade e o trabalho – tem-se na rua. No Brasil, o mundo ficaria sem sentido sem o contraste entre casa e rua.

Além disso, a rua é essencialmente o espaço do trabalho e do famoso "batente". Esse "trabalho" popular e biblicamente concebido como castigo. E o nome diz muito, pois a palavra deriva do latim *tripaliare*, que significa castigar com o *tripaliu*, instrumento que, na Roma Antiga, era um objeto de tortura, consistindo numa espécie de canga usada para supliciar escravos. Trabalho que ainda é catolicamente lido como um castigo, em franco contraste com a

19 O que é o Brasil?

tradição reformadora de Calvino, que o transformou numa ação destinada à salvação das almas e ao aperfeiçoamento do mundo.

Não é, pois, à toa que o nosso panteão de heróis oscila entre três tipos. Há o malandro (aquele cuja proeza consiste em vencer o trabalho como castigo, ganhando o máximo com um mínimo de esforço). Há o renunciante ou o santo (aquele que abandona o trabalho neste e deste mundo e vai trabalhar para o outro, como fazem os líderes religiosos, rotineiros ou carismáticos). E há, finalmente, o "caxias", que não é um trabalhador, mas um cumpridor de leis, uma figura que obriga os outros a trabalhar.

Ao fundo e ao cabo, a figura positiva do trabalhador é recente entre nós, bem como a ideia de que a rua e o trabalho são locais onde se pode honestamente enriquecer e ganhar dignidade. Nossa visão do trabalho é ainda algo cercado de muita ambiguidade, senão de negatividade.

Mas poderia ser de outro jeito numa sociedade em que até outro dia havia escravos e onde as pessoas decentes não saíam à rua nem podiam trabalhar com as mãos? É claro que não... No nosso sistema, tão fortemente marcado pelo trabalho escravo, as relações entre patrões e empregados ficaram definitivamente confundidas. Pois numa sociedade que Gilberto Freyre chamava de patriarcal e escravocrata, o patrão – sendo dono do trabalhador – é muito mais que um explorador do trabalho. Ele é também o representante exclusivo do trabalhador no plano social, político e moral.

Isso permeou de tal modo as nossas concepções de trabalho e suas relações, que até hoje misturamos tarefa com amizade, o que confunde o empregado e permite ao patrão exercer um duplo controle da situação. Ele tende a governar o trabalho, pois é quem oferece o emprego, e também pode controlar as reivindicações dos empregados, pois apela para a moralidade das relações pessoais que tendem a ofuscar a relação patrão-empregado. O caso mais típico e mais claro dessa problemática é o das empregadas domésticas, que fazem na casa aquilo que é delas banido: o trabalho marcado por uma alta intimidade, exercendo tarefas que confundem simpatias com elos produtivos e econômicos. Tal como ocorria no regime de escravidão.

O fato, porém, é que a concepção de trabalho fica confundida num sistema onde os laços entre casa e rua têm um relacionamento tão complexo. E constituem espaços de onde se pode julgar, classificar, medir e decidir sobre ações, pessoas, relações e moralidades. Compensando-se mutuamente e sendo ambas complementadas pelo espaço do "outro mundo", onde residem deuses e espíritos, casa e rua formam os espaços básicos de nossa sociabilidade.

Um racismo "à brasileira"

No século XVIII, Antonil escreveu: "O Brasil é um inferno para os negros, um purgatório para os brancos e um paraíso para os mulatos." A frase foi tomada ao pé da letra e, conseqüentemente, mal entendida. Na verdade, caso se queira ter uma compreensão profunda das relações raciais vigentes no Brasil, será necessário tomar essa expressão nos seus sentidos velados, considerando as suas implicações morais e políticas. E, conforme veremos a seguir, elas nos levam para longe de uma mera questão "racial" ou biológica.

A frase de Antonil tem um sentido profundo porque ela é contraditória. Não custa relembrar que as teorias racistas européias e norte-americanas do século XIX não eram tanto contra o negro, o amarelo (o oriental) e o vermelho (o índio), que também eram vistos como donos de qualidades positivas enquanto "raça". O problema maior dessas doutrinas, o horror que declaravam, era, isso sim, contra a sua mistura ou miscigenação. Saber por que tais teorias tinham esse horror à miscigenação é descobrir o ponto-chave que distingue o "racismo à européia" ou "à americana"; e o nosso conhecido, dissimulado e disseminado "racismo à brasileira".

Tomem-se as ideias de um dos fundadores dessas doutrinas, as do conde de Gobineau, que, significativamente, residiu no Rio de Janeiro como cônsul da França e se tornou interlocutor intelectual do Imperador, D. Pedro II. No livro *A diversidade moral e intelectual das raças* (de 1856), Gobineau não realiza um exercício simplista, no sentido de dizer que a "raça" branca era superior em tudo. Muito pelo contrário, ao comparar, por exemplo, brancos e amarelos no que diz respeito às suas "propensões animais", ele situa os primeiros abaixo dos segundos. Quem não se salva, porém, como infelizmente acontece até hoje, são os negros, sempre situados abaixo dos brancos, vermelhos e amarelos em quase tudo.

Mas onde Gobineau excedeu a si mesmo foi na previsão de que o Brasil levaria menos de 200 anos para se acabar como povo. Por quê? Porque, como ele mesmo testemunhava no Rio de Janeiro, nossa sociedade era um exemplo maior de mistura de raças, um tabu que não era levado a sério no Brasil. Não éramos condenados pelo multirracialismo. O que certificava o fim do nosso povo era a miscigenação e o acasalamento. O problema de Gobineau não era a existência de raças diferentes, desde que essas "raças" ficassem no seu lugar e não se misturassem. Mantida a hierarquia, tudo estava bem. Mas o que não podia ocorrer era o que acontecia em larga escala no Brasil: a mistura que produzia o mestiço, o intermediário e a ambiguidade classificatória, desafiadora da compartimentalização como um valor.

23 O que é o Brasil?

Ambiguidade, ademais, que era uma prova viva de uma intimidade sexual moralmente condenável entre "raças" situadas – como se supunha então – em escalas diversas no plano natural. Esse horror à mestiçagem é compartilhado por outros racistas, como Buckle, Couty e Agassiz – para ficarmos com os mais influentes no Brasil –, formando um denominador comum cuja mensagem era o horror a uma população feita de "híbridos" potencialmente degenerados. Sem saber que, no Brasil, o ambíguo é reinterpretado como um dado positivo, na glorificação da mulata e do mestiço como sendo, no fundo, uma síntese perfeita do melhor que pode existir no negro, no branco e no índio, todas essas previsões foram por água abaixo. Mas voltemos à declaração profunda de Antonil.

Noto, primeiramente, que ele não fala de branco, negro e mulato numa equação biológica, mas constrói uma equação moral, ligando o branco ao purgatório, o negro ao inferno e o mulato ao paraíso. Vale notar que Antonil é o primeiro que se utiliza de um triângulo para entender a sociedade brasileira, o que me parece significativo e importante. O Brasil ultrapassa os dualismos nele contidos. Entre nós, a lógica exclusiva do dentro ou fora; do certo ou errado; do homem ou mulher; do casado ou separado; de Deus ou Diabo; do preto ou branco não ajuda muito. Pois sempre existe um terceiro termo ou um elemento mediador. Isso é muito claro na discussão do nosso racismo, porque entre a oposição negro e branco há uma multidão de tipos intermediários e não um espaço vazio, como no caso dos sistemas discriminatórios sul-africano e americano.

De modo coerente com essa ordenação triangular ou hierarquizada, Antonil equaciona as "raças" aos três espaços sagrados e críticos da cosmologia católica romana: o paraíso, o inferno e o purgatório, numa correlação reveladora. Pois se o mulato é um ser intermediário e ambíguo e, se no sistema simbólico brasileiro, o meio-termo e o intermediário recebem, ao contrário dos outros racismos, um sinal positivo, ele representa uma categoria superior. Enquanto nos outros racismos o mulato estaria no inferno, o negro no purgatório e o branco no céu, no sistema de Antonil há uma inversão reveladora quando ele situa o mulato como a salvação carnavalizada do sistema.

Tal associação revela como no Brasil, ao contrário do que aconteceu em outros países – e eu penso, sobretudo, nos Estados Unidos –, não ficamos com uma classificação racial formalizada em preto ou branco, com aqueles conhecidos refinamentos ideológicos que, na legislação norte-americana, eram pródigos em descobrir porções ínfimas daquilo que a lei chamava de "sangue negro" nas veias de pessoas de cor branca, que assim passavam a ser consideradas pretas, mesmo que a sua aparência externa fosse inconfundivelmente "branca".

O racismo americano, conforme já apontou o sociólogo brasileiro Oracy Nogueira num estudo de rara sensibilidade sociológica, revela um preconceito racial aberto à dis-

25 O que é o Brasil?

criminação e à segregação, um prejuízo que considera básicas as "origens" das pessoas, e não as suas "marcas" (ou aparências) raciais, como ocorre no caso brasileiro. Nos Estados Unidos, liga-se a aparência a uma "essência" (a origem), fazendo com que um "branco" seja classificado como "negro", caso um dos seus ascendentes tenha sido "negro".

Já no nosso caso, tudo depende de relações e contextos. A consequência disso – conforme o sistema de quotas tem mostrado – é a dificuldade de enfrentar ou até mesmo de perceber o nosso preconceito que, em certo sentido, tem, pelo fato de ser variável, uma enorme invisibilidade. Na realidade, acabamos por desenvolver o preconceito de ter preconceito, conforme disse Florestan Fernandes numa frase lapidar.

O fato de existir uma legislação rígida, racista e dualística nos Estados Unidos – um conjunto de leis que até bem pouco tempo impediam o movimento de quem era considerado negro em certas áreas urbanas, escolas, restaurantes, hotéis, bares e muitas outras instituições sociais – revela sem maiores embaraços quem está dentro ou fora; quem tem direitos e quem não tem; quem é branco ou é negro. Nesse sistema, vale repetir, o mulato não está no paraíso de Antonil, mas no inferno. Nele, o mulato é a revelação corporificada do pecado e de uma vergonhosa intimidade entre camadas sociais iguais, mas que deveriam permanecer separadas. Do mesmo modo que as leis de uma sociedade igualitária e liberal não admitem o "jeitinho" ou o "mais ou menos", as relações entre grupos sociais não podem admitir a intermediação – a negação do indivíduo que é o centro legal e moral do sistema.

Tudo isso ajuda a elucidar o "racismo à brasileira", bem como o nosso famoso triângulo racial. Primeiramente, porque o preconceito racial era muito mais claro, visível e contundente nas sociedades igualitárias. Mas em sociedades hierarquizadas e pessoalizadas como o Brasil, a gradação e o clientelismo diluem o preconceito que sempre pode ser visto como dirigido contra aquela pessoa e não contra toda uma etnia. Daí a nossa crença em que não temos preconceito racial, mas social, o que, tecnicamente, é a mesma coisa. Numa sociedade onde somente agora se admite não existir igualdade entre as pessoas, o preconceito velado é uma forma muito mais eficiente de discriminar, desde que essas pessoas "saibam" e fiquem no seu lugar.

É claro que podemos ter uma democracia racial no Brasil. Mas ela terá que estar fundada numa positividade jurídica que assegure a todos os brasileiros o fundamento de toda a igualdade: o direito de ser igual perante a lei. Enquanto isso não for discutido e praticado, ficaremos sempre usando a nossa mulataria e os nossos mestiços como um disfarce para um processo social marcado pela desigualdade.

Na nossa ideologia nacional, temos um mito de três raças formadoras originais. Não se pode negar o mito. Mas

27 O que é o Brasil?

pode-se indicar que o mito é precisamente isso: uma forma sutil de esconder de nós mesmos um sistema de múltiplas hierarquias e classificações sociais. Assim, o "racismo à brasileira", paradoxalmente, torna a injustiça algo tolerável e a diferença, uma questão de tempo e amor. Eis, numa cápsula, o segredo da fábula das três raças.

Sobre comidas e mulheres...

A sociedade manifesta-se por meio de vários idiomas. Um dos mais importantes no caso do Brasil é, sem dúvida, o código da comida que, em seus desdobramentos simbólicos, ajuda a situar a mulher e o feminino no seu sentido talvez mais tradicional. Comidas e mulheres, em suas expressões culturais e em suas contradições, exprimem tão bem a sociedade quanto a política, a economia, a religião e a família.

O antropólogo francês Lévi-Strauss chamou atenção para o "cru" e o "cozido", não somente como dois estados pelos quais passam os alimentos, mas como modalidades pelas quais se pode falar de transformações sociais importantes. No Brasil, equacionamos simbolicamente mulher e comida, o doce com o feminino, associando o salgado e o indigesto para tudo que nos "cheira" a coisas duras e cruéis. Ao mundo difícil da "vida", da "rua" e do trabalho que ligamos à masculinidade e estão longe da generosidade e da doçura das cozinhas, dos temperos e das boas mesas e camas, onde se exerce uma comensalidade reparadora. De acordo com Lévi-Strauss, o cru exprime um estado de selvageria (um estado de natureza), ao passo que o cozido se relaciona ao universo socialmente elaborado, definido como cultura ou ideologia. Tomando a culinária como um idioma, podemos finalmente entender por que "o apressado come cru...", pois com a associação entre o cru e a pressa indicamos o primitivismo denotado pela sofreguidão típica de uma pessoa rude, mal-educada e selvagem, em oposição ao nobre que, civilizadamente, sabe esperar e, assim, come cozido.

Um dos pontos mais interessantes quando abordamos o universo da comida no Brasil, entretanto, é que a culinária é uma das poucas áreas onde nos vemos como formidáveis, ajudando a recuperar a nossa autoestima. Nossa sensibilidade e vergonha por termos gente faminta no país, certamente, passa pela importância cultural da comida como um foco de sociabilidade básica do nosso sistema.

O fato geral é que, quando falamos de feijoadas, cozidos e rabadas, contamos uma boa história para nós mesmos, de um ponto de vista que admiramos, com coisas de que gostamos e que nos fazem bem.

E como não poderia deixar de ser, o mundo das comidas não nos leva para o mercado ou para o governo, mas para casa, para os parentes e amigos: para os nossos companheiros de teto e de mesa.

Diferentemente de um americano que, provavelmente, situaria o cru na casa e o cozido na rua, nós fazemos justo o oposto. No Brasil, o cru fala mais do mundo da rua onde somos achatados por uma igualdade vivida como negativa, enquanto o cozido pertence à sociabilidade caseira. Fala de

31 O que é o Brasil?

um processo físico – o cozimento das coisas pelo fogo – e nomeia um prato lapidar da culinária nacional. Prato, aliás, cheio de simbolismo, já que no cozido juntamos legumes e carnes variadas, numa refeição que tem a capacidade de ser, ela mesma, um misturado acontecimento. Se, então, o cru e o cozido formam categorias estanques, o cozido permite ultrapassar a compartimentalização, misturando os alimentos. Voltarei a este problema mais adiante. Agora, é importante falar de outro traço fundamental do nosso sistema culinário.

Refiro-me à distinção entre "comida" e "alimento". Uma oposição reveladora de como, no Brasil, comer diferencia-se do mero ato de alimentar-se. Os americanos, que "comem para viver", inventaram o *fast-food* (alimento rápido) e, assim, comem em pé, sentados, com estranhos ou amigos, sós ou acompanhados. Mas nós, brasileiros, que não esquecemos o viver para comer, sabemos que nem tudo o que alimenta é gostoso ("tem paladar", como falamos) ou é socialmente aceitável. Com isso sabemos que nem tudo que é alimento é comida. Alimento é tudo aquilo que pode ser ingerido para manter uma pessoa viva; comida é tudo que se come com prazer, de acordo com as regras mais nobres de preparo, serviço e comensalidade. O alimento é a moldura; mas a comida é o quadro, aquilo que é valorizado dentre os alimentos; o que deve ser saboreado com os olhos e, depois, com a boca, o nariz, a boa companhia e, finalmente, a barriga. O que deve ser temperado,

saboroso, comido com calma, em harmonia, sentado e cercado por pessoas amigas...
É, então, a comida que põe as coisas em foco e ajuda a estabelecer uma identidade, definindo um grupo, classe ou pessoa.
Por isso, falamos que queijo é alimento para os humanos, mas é comida de ratos. Logo: rato = queijo. Falar de queijo, então, implica a ideia de rato, marcando a sua identidade. Pela mesma lógica, leite é alimento para os seres humanos, mas é comida para nenéns. Osso é comida de cachorro; milho, de galinha; e sanduíche, de americano. Do mesmo modo, sabemos que churrasco é comida de gaúcho, vatapá de baiano, angu de mineiro, polenta ou bisteca coisa de paulista e feijoada de carioca.
Existiria uma comida brasileira básica? A mais geral é, sem dúvida, o feijão com arroz, esse "prato" que é usado como sinônimo para todas as pobrezas e rotinas. Mas vale notar que o arroz e o feijão são ingredientes que se misturam e formam uma massa indiferenciada, assumindo as propriedades gustativas dos dois elementos. Além disso – e qualquer semelhança não é, no plano cultural, coincidência –, a mistura faz com que o feijão deixe de ser preto e o arroz, de ser branco. A síntese é um intermediário, desses que a sociedade brasileira tanto admira e valoriza. Comer arroz com feijão, então, é mais uma vez exercer o ato de misturar e desafiar a compartimentalização.
De fato, nada mais rico, na nossa sociabilidade, que os vários significados do verbo comer em suas conotações.

33 O que é o Brasil?

Usamos, assim, o "pão-duro" para falar do avarento; "o pão, pão, queijo, queijo" para separar coisas, acontecimentos e pessoas, pois não haveria nada mais distinto que o pão (de origem vegetal e agrícola, que vai ao forno) e o queijo (de origem animal e que se fabrica por meio de um processo de fermentação "natural"). Falamos também que se pode "comer gato por lebre" quando fatos, coisas e pessoas são aceitos pela sua aparência, denotando ingenuidade e, às vezes, ignorância. Além disso, podemos ter "água na boca" ou sermos apanhados "com a boca na botija"; e, quando somos vitoriosos, estamos "com a faca e o queijo na mão", imagem que, como aquela outra que fala de quem "está por cima da carne-seca", indica o controle de recursos de poder. Ademais, podemos ser convidados para "comes e bebes" e, sempre que falamos alguma coisa que não deve ser levada a sério, falamos da "boca pra fora"...

Mas há comida e comidas. Falamos que "mulher oferecida não é comida", num trocadilho chulo mas revelador da associação, intrigante para estrangeiros, entre o ato sexual e o de ingerir alimentos. Mulheres que se oferecem sexualmente são como as prostitutas e, por isso, correm o risco de serem rejeitadas. Já as virgens, que se tornam esposas e mães pelo casamento com bolo de noiva e docemente saem de suas famílias para os braços dos seus maridos, essas não se oferecem e, assim, passam de virgem a mãe seguindo o caminho normal.

É viva a associação da comida à sexualidade, de tal modo que o ato sexual é um "comer". Um englobar, ingerir ou circunscrever totalmente aquilo que é (ou foi) comido. A comida, como a mulher (ou, em certas situações, o homem), desaparece dentro do comedor. Trata-se de uma oposição hierárquica, na qual a comida é englobada pelo comedor. Englobador, diga-se logo, que tanto pode ser um homem (esse seria o caso da formulação tradicional) como também uma mulher. No Brasil, os homens são comedores quando se trata de virgens e esposas; mas nas suas relações com as mulheres do mundo e da vida – ou com aquelas que se definem como independentes, individualizadas –, eles é que são os comidos.

Não é, pois, por acaso que muitas figuras de nosso panteão mitológico são mulheres cozinheiras ou que sabem usar as artes da culinária para conseguir o que desejam. Gabriela e Dona Flor são cozinheiras de rara capacidade e estilo; também a escrava Xica da Silva, na criação cinematográfica de Cacá Diegues, foi uma genial articuladora de temperos (que usava como arma e requinte), transformando em dominado o dominante-branco-comedor. Gabriela, cravo e canela. O nome é suficiente para inspirar essas formas de fazer e esses estilos de preparar que só os "fracos" que dominam sabem pôr em prática. São segredos que permitem uma inversão do mundo, fazendo com que a cabeça seja trocada pelo estômago e pelo sexo (onde todos se igualam e deleitam...).

Daí o jeito brasileiro de apreciar a mesa grande, farta, alegre e harmoniosa. Mesa que congrega liberdade, respeito e satisfação, permitindo orquestrar as diferenças. Na me-

35 O que é o Brasil?

sa e através da comida comum, comungamos uns com os outros, celebrando as nossas relações mais que nossas individualidades. Daí por que ligamos intensamente a comida com os amigos. Pois quem nos ampara quando "comemos da banda podre" e quem nos pode conseguir uma "boca" ou uma "comilança no Estado" ou "no Governo"? Certamente que são os amigos, esses nossos eternos companheiros de bródio, gosto e mesa...

Companheiros. O nome é rico para o que falamos. Pois há quem diga que a palavra deriva do latim com pão: quer dizer, aqueles que juntos comem o pão. E por isso estão relacionados.

Do mesmo modo, será preciso indicar como a culinária brasileira privilegia os cozidos – das peixadas às feijoadas, passando pelas moquecas e rabadas, sem esquecer o pirão, os guisados, os mexidos, as dobradinhas e as papas. Temos, sem dúvida, especial predileção pelo alimento que fica entre o líquido e o sólido, permitindo, como ocorre com o modesto arroz com feijão, a congregação, a relação, o mulatismo e a mistura.

Nossa comida – que mistura e combina – segue a mesma lógica do nosso mito de origem. Trata-se de uma comida tão mulata quanto a nossa fábula das três raças. Temos uma "culinária relacional" a falar de uma sociedade também relacional.

O carnaval, ou o mundo como teatro e prazer

Todas as sociedades alternam suas vidas entre rotinas e ritos, trabalho e festa, períodos ordinários – onde a vida transcorre sem problemas – e as festas, os rituais, as comemorações – essas as ocasiões extraordinárias, mas paradoxalmente datadas! –, onde tudo é visto por um novo ângulo e perspectiva.

No Brasil, como em muitas outras sociedades, o rotineiro é equacionado ao trabalho ou ao que remete a obrigações e castigos; ao passo que o extraordinário, como o próprio nome indica, evoca o que é fora do comum e deve ser produzido com cumplicidade coletiva. Cada um desses lados permite "esquecer" o outro, como as duas faces de uma mesma moeda. Pois tanto a festa quanto a rotina são modos que a sociedade tem de exprimir-se e renovar-se.

Na festa, comemos, rimos e vivemos o mito da ausência de hierarquia, poder, dinheiro e esforço físico. Nela, todos se harmonizam por meio de roupas especiais, comidas singulares e, muito especialmente, pela música que congrega e iguala no seu ritmo e na sua melodia.

No caso do Brasil, a maior e mais importante, a mais livre, criativa, irreverente e popular é, sem dúvida, o carnaval. Aliás, nessa festa, a própria definição já perturba, pois que dispensa os elementos da ordem, da esfera política e moral, básicos das outras festas. O carnaval não pode ser sério, senão não seria um carnaval...

Mas qual a receita para o carnaval brasileiro? Sabemos que o carnaval é definido como "liberdade" e como possibilidade de viver uma ausência fantasiosa e utópica de miséria, trabalho, obrigações, pecado e deveres. Trata-se de um momento em que se pode deixar de viver a vida como fardo e castigo. É, no fundo, a oportunidade de fazer tudo ao contrário: viver e ter uma experiência do mundo como excesso – mas como excesso de prazer, de riqueza (ou de "luxo"), de alegria e de riso; de prazer sensual que finalmente fica ao alcance de todos.

Se o desastre distribui o malefício sem escolher entre ricos e pobres, o carnaval faz o mesmo, só que ao contrário. A "catástrofe" que o carnaval brasileiro possibilita é a da distribuição livre e igualitária do prazer sensual para todos. O Rei Momo – Dionísio, o Rei da Inversão, da Antiestrutura e do Desregramento – sugere, com o carnaval, a possibilidade bizarra e, por isso mesmo, carnavalesca e impossível no mundo real de viver sem a contabilidade dura do trabalho, do castigo e do pecado. Com isso, o carnaval inventa um universo social onde a regra é praticar sistematicamente todos os excessos!

Por isso, o carnaval é percebido como algo que vem de fora para dentro da sociedade. Como uma onda irresistível que nos domina, controla e seduz inapelavelmente. Ele é igualmente percebido como uma festa onde todos são iguais – ou podem viver uma significativa experiência de igualdade.

39 O que é o Brasil?

Mas o que o carnaval consegue fazer com o Brasil? Que extraordinário é esse que ele tão criativamente inventa? O carnaval é um ritual de inversão do mundo. Uma catástrofe. Só que é uma reviravolta positiva, porque planejada e, por isso mesmo, vista como desejada e necessária. No carnaval, trocamos o trabalho que castiga o corpo (o velho *tripalium* ou canga romana que subjugava escravos) pelo uso do corpo como instrumento de beleza e de prazer. No trabalho, estragamos, submetemos e gastamos o corpo. No carnaval, isso também ocorre, mas de modo inverso. Aqui, o corpo é gasto pelo prazer e pela "brincadeira". Daí por que falamos que "nos esbaldamos" ou "liquidamos" no carnaval.

O carnaval também promove a troca dos uniformes pelas fantasias. Se o uniforme é uma vestimenta que cria ordem e hierarquia, a fantasia permite o exagero e a troca de posições. Note-se que, no carnaval do Brasil, não vestimos costumes, mas "fantasias". E a fantasia é tanto o sonho acordado quanto aquela roupa que realiza a ponte entre o que realmente somos e o que poderíamos ter sido ou o que merecíamos ser. A fantasia liberta, "desconstrói", abre caminho e promove a passagem para outros lugares e espaços sociais. Ela permite o livre trânsito das pessoas por dentro de um espaço social que o mundo cotidiano, com suas leis e preconceitos, torna proibitivo. Ademais, ela torna possível passar de "ninguém" a "alguém"; de marginal do mercado de trabalho a figura mitológica.

É precisamente por estar vivendo uma situação na qual as regras do mundo diário estão temporariamente de cabeça para baixo que posso ganhar e realmente sentir uma incrível sensação de liberdade. Liberdade fundamental numa sociedade cuja rotina é dominada pelas hierarquias que a todos sujeitam numa escala de direitos e deveres vindos de cima para baixo, dos superiores para os inferiores, dos "elementos" que entram na fila e das "pessoas" que jamais são vistas em público como comuns.

Não é por simples acaso que chamamos a cena carnavalesca de "loucura", um termo que sugere o desafio das coisas fora de lugar e, com ele, o riso irresponsável, "carnavalizado", como diz Bakhtin, num mundo movido pela dor, pelo poder, pelo choro e pela morte.

O carnaval cria uma cidadania especial no caso do Brasil. Cidadania que permite andar pelas ruas do centro comercial de nossas cidades com a roupa que quisermos (ou até mesmo sem roupa) e em pleno dia, sem a menor preocupação de sermos atropelados ou vistos por nossos patrões, pais ou amigos aristocráticos. Muito pelo contrário, ao sermos vistos, eles é que correm o risco de serem seduzidos pela nossa investida carnavalesca. Ao lado disso, podemos comer, pular, cantar, dançar, beber ou até mesmo dormir em plena rua. Podemos até mesmo fazer amor com proteção oficial e policial, pois governo e polícia, que durante todo o ano nos cobrem de impostos e compostura, agora nos defendem e compreendem com simpatia o nosso desejo e a nossa cidadania carnavalesca.

Ademais, o carnaval é momento de canto e não de discursos e rezas. É igualmente uma situação que exige o máximo de sinceridade. Podemos ir a uma cerimônia de formatu-

41 O que é o Brasil?

ra, missa, posse ou casamento sem sentir nada e até mesmo achando tudo aquilo aborrecido. Mas não se pode fazer o mesmo num baile de carnaval, onde corpo e alma devem estar juntos e existe punição para o bom comportamento.

No carnaval, nós, brasileiros, cantamos e, geralmente, podemos fazer o que cantamos. O diverso, o diferente – o universo da individualidade –, que é tão temido na vida diária, é moeda corrente no carnaval. Ali, todos podem exercer o direito de interpretar o mundo do seu "jeito" e a seu modo. Do mesmo modo, a crítica social mais ácida e a crítica política mais acesa, que pode dar em prisão e censura, são realizadas abertamente, tanto quanto a competição, que todos temem como algo monstruoso, mas que é também aceita em todos os carnavais brasileiros, construídos por meio de inúmeros concursos.

De fato, no carnaval, há competição para tudo: músicas, fantasias, maior capacidade de exibir-se e, naturalmente, a disputa dos blocos e escolas de samba. Num sistema onde cada qual sabe do seu lugar, o mundo fica mesmo de cabeça para baixo. Não somente porque as "escolas" têm como base gente pobre e que vive nos morros e subúrbios, zonas que congregam a massa dos subempregados locais, mas talvez por estarmos aqui para assistir a um monumental concurso público, a uma fantástica competição onde tanto os jurados oficiais quanto o público conhecem todas as regras. Coisa do outro mundo? Algo extraordinário? Claro que sim. Numa sociedade marcada pelos nomes de família e pela cor da pele e que detesta abrir-se aos jogos ou concursos, nos quais as pessoas podem mudar de lugar pelo próprio desempenho, tudo isso é fora do comum. No carnaval, portanto, os apadrinhamentos deixam de funcionar, porque o "samba está no pé": no desempenho que é o sinal maior da competência, do empenho e da vontade de competir e vencer, essa marca das democracias.

Carnaval, pois, é inversão porque é competição numa sociedade marcada pela hierarquia. É movimento numa sociedade que tem horror à mobilidade, sobretudo à mobilidade que conduz à troca de posição social. É exibição numa ordem social marcada pelo falso recato de "quem conhece o seu lugar" – algo sempre usado para o mais forte controlar o mais fraco em todas as situações. É feminino num universo social marcado pelos homens, que controlam tudo o que é externo e jurídico, como os negócios, a religião oficial e a política.

Por recusar um centro, um sujeito, uma comida e um momento climático ou solene, aquilo que faz parte da estrutura de todo ritual da ordem, o carnaval distingue-se como uma congregação intrigante. Um rito cuja regra é a não regra. Um momento adrede, preparado, que requer uma enorme cumplicidade pública, mas que não quer ser levado a sério. Uma festa que requer produção e exige recursos, mas que se diz humilde e se funda não em discursos ou lágrimas, mas naquele gargalhar odiado pelos poderosos.

Por tudo isso, o carnaval é a possibilidade utópica de mudar de lugar, de trocar de posição na estrutura social. De

43 O que é o Brasil?

realmente inverter o mundo em direção à alegria, à abundância, à liberdade e, sobretudo, à igualdade de todos perante a sociedade. Pena que tudo isso só sirva para revelar o seu justo e exato oposto...

O modo de navegação social: a malandragem, o "jeitinho" e o "você sabe com quem está falando?"

Entre a desordem carnavalesca, que legitima e estimula o excesso, e a ordem que requer a continência e a disciplina pela obediência estrita às leis, como é que nós, brasileiros, ficamos? Qual a nossa atitude diante da lei que deve valer para todos? Como procedemos diante de normas igualitárias, se fomos criados numa casa onde, desde a mais tenra idade, aprendemos que somos especiais e que sempre há um modo de satisfazer nossas vontades, mesmo que isso conteste o bom-senso e as práticas estabelecidas?

Num outro texto – Carnavais, malandros e heróis – eu disse que o dilema brasileiro residia na oscilação entre um esqueleto feito de leis cujo sujeito era o indivíduo e situações em que cada qual se salvava como podia, utilizando o seu sistema de relações pessoais. Existiria um dilema entre leis que deveriam valer para todos e relações pessoais, obviamente exclusivas, que levariam a dobrar ou neutralizar essas normas. O resultado é um sistema social dividido e equilibrado entre duas unidades sociais: o indivíduo (o sujeito das leis universais e igualitárias que modernizam a sociedade) e a pessoa (o sujeito das relações sociais que conduzem as dimensões hierarquizadas do sistema). Entre essas tendências, balançam os nossos corações. E na gangorra, no espaço entre as leis e os amigos, surgem a malandragem, o "jeitinho" e o famoso e antipático "você sabe com quem está falando?".

De fato, como é que reagimos diante de um "proibido estacionar", "proibido fumar" e de uma fila quilométrica? Como é que se faz diante de um requerimento que, para o burocrata, está sempre errado? Ou diante de um prazo que já se esgotou e conduz a uma multa automática que não foi divulgada de modo apropriado pela autoridade pública? Ou de uma taxação injusta e abusiva que o governo decidiu instituir de modo drástico e sem consulta?

Nos Estados Unidos, na França e na Inglaterra, somente para citar três bons exemplos, as regras ou são obedecidas ou não existem. Nessas sociedades, não há nenhum prazer em escrever normas que aviltam o bom-senso e as práticas sociais estabelecidas, abrindo caminho para a corrupção burocrática e ampliando a desconfiança no poder público. Em face da expectativa de coerência entre a regra jurídica e as práticas da vida diária, o inglês, o francês e o norte-americano param diante de uma placa de trânsito que diz "parar", o que – para nós – parece um absurdo mágico. Ficamos sempre confundidos e fascinados com a chamada disciplina existente nesses países.

Aliás, é curioso que a nossa percepção dessa obediência às leis universais seja traduzida em termos de "civilização" e "adiantamento", educação e ordem, quando na realidade ela é decorrente de uma simples e direta adequação entre a prática social e o mundo jurídico. É essa

47 O que é o Brasil?

adequação que inventa a obediência que tanto admiramos e desperta a confiança de que tanto sentimos falta. Porque, nessas sociedades, a lei não é feita para explorar ou submeter o cidadão, ou para corrigir e reinventar a sociedade. Nelas, a lei é um instrumento que faz a sociedade funcionar bem e isso, como começamos a ver, já é um bocado.

Um dos resultados dessa confiança é uma aplicação segura da lei que, por ser norma universal aplicável para todos, não pode pactuar com o privilégio ou com a lei privada, aquela norma que se aplica diferencialmente, se o crime ou a falta foi cometida por pessoas diferencialmente situadas na escala social. Isso que ainda ocorre no Brasil quando, digamos, um juiz, senador ou funcionário público comete um delito e tem direito a regalias (como prisão especial) e um operário, diante da mesma lei, não tem tal direito porque não é doutor. A revogação do privilégio – a partir da Revolução Francesa, para ficarmos com um marco histórico clássico – engendrou uma justiça ágil e operativa na base do certo ou errado. Uma justiça cega e que não aceita o mais ou menos e as indefectíveis gradações e hierarquias que normalmente acompanham a ritualização legal brasileira, que para todos os delitos, e sobretudo para cada criminoso, estabelece virtualmente um peso e uma medida.

Apesar das mudanças, ainda somos um país onde a lei sempre significa um "não pode!" formal, capaz de tirar todos os prazeres e desmanchar todos os projetos e iniciativas, criando – além disso – um elo ambíguo, senão negativo, entre o Estado e a sociedade.

Se nossa relação com a lei é tão complicada, nada mais normal do que a adoção de um estilo de navegação social que passa sempre pelas entrelinhas desses peremptórios e autoritários "não pode!". Assim, entre o "pode" e o "não pode", escolhemos, de modo chocantemente antilógico, mas singularmente brasileiro, os "mais ou menos" e as zonas intermediárias, onde a lei tem "furos" e inventamos os "jeitinhos". Esses arranjos permitem operar com um sistema legal descolado da realidade social, quando não orientado para a submissão dos subalternos.

Nesse sentido, o "jeitinho" é um modo simpático, muitas vezes desesperado e quase sempre humano, de relacionar o impessoal com o pessoal, propondo juntar um objetivo pessoal (atraso, falta de dinheiro, ignorância das leis, má vontade do agente da norma ou do usuário, injustiça da própria lei, rigidez das normas etc.) com um obstáculo impessoal. O "jeito" é um modo pacífico e socialmente legítimo de resolver tais problemas, provocando uma junção casuística da lei com a pessoa.

Pode ser resumido como um drama em três atos:

1º Ato: Uma pessoa ignorada em razão de sua aparência humilde chega a uma repartição pública. A autoridade, encarnando na sua pessoa a autoridade impessoal da lei, não toma conhecimento dela. Divididos pelo balcão, fica de um lado o Estado usado para dificultar (e, portanto, oprimir o cidadão que o sustenta) e, do outro, o contribuinte esmagado e temeroso que, inseguro e depois de uma longa espera, solicita o que quer...

49 O que é o Brasil?

2º Ato: O funcionário diz que não pode ser assim e ainda complica mais as coisas, indicando as confusões do solicitante e as penalidades legais a que está sujeito. Cria-se um impasse. Diante de um usuário honesto, mas humilde, há a opinião dura ou indiferente do representante da lei, do governo que, precisamente por isso, não vê nenhuma razão para tratar o solicitante com um mínimo de civilidade. Num certo sentido, a lei cega-o completamente para qualquer cordialidade que decerto seria a expressão de um ideal de cidadania na qual os indivíduos têm os seus direitos assegurados e respeitados em todas as situações. Mas, nesse exemplo, o solicitante é apenas um "indivíduo" qualquer que, como um número, um caso complicado e um estorvo, solicita algo que obriga o funcionário a "trabalhar". Temos aqui um alguém que é ninguém e um funcionário público imbuído da ideia de que é superior.

3º Ato: Diante do impasse – pois o funcionário diz que não pode e o cidadão deseja resolver o seu caso –, há o "jeitinho". Para uma forma que seja capaz de conciliar todos os interesses, criando uma relação aceitável entre o solicitante, o funcionário-autoridade e a lei universal. Geralmente, isso se dá quando as partes são conhecidas; ou quando ambos descobrem um elo em comum. Tal elo pode ser banal (morar no mesmo bairro, ter nascido na mesma cidade, ter a mesma religião, torcer pelo mesmo time) ou especial e muito relevante: um amigo comum. A verdade é que a invocação da relação pessoal, da regionalidade, do gosto, da religião e de outros fatores pessoais, capazes de criar igualdade e empatia, abre as portas para uma resolução satisfatória.

Essa é a fórmula típica do "jeitinho". Uma de suas primeiras regras é controlar a indignação, o nervosismo e o argumento dos direitos do cidadão, o que pode levar ao reforço da má vontade do funcionário. Na verdade, quando se deseja utilizar o argumento da autoridade, o "jeitinho" explode e se transforma num ato de força, virando o famoso e muitas vezes utilizado "você sabe com quem está falando? Eu sou primo do Governador!". Nesta fórmula, ao contrário do jeitinho e quase como o seu simétrico e inverso, não se busca uma igualdade simpática ou uma relação contínua com o agente da lei, mas faz-se um apelo à hierarquia com o intuito de inverter o elo entre o usuário e o atendente. De tal modo que, diante do "não pode" do funcionário, encontra-se um "não pode do não pode" feito pela invocação do "você sabe com quem está falando? Sou isso ou aquilo", o que engendra um impasse pela introdução de uma relação num contexto que teoricamente deveria ser resolvido pela aplicação individualizada e automática da lei.

Mas, qualquer que seja o caso, um "jeito" foi dado e uma forma de resolução obtida. A ligação entre a lei impessoal e sem rosto e o caso concreto se realiza satisfatoriamente para ambas as partes. "Jeitinho" e "você sabe com quem está falando?" são, pois, dois modos de enfrentar uma mesma situação. O primeiro vai pelo caminho da harmonia, da paciência e da conciliação; já o segundo apela para o conflito, fazendo com que a relação englobe a lei.

51   O que é o Brasil?

O "jeito" tem muito de "cantada" e de harmonização de interesses aparentemente opostos. O "você sabe com quem está falando?", por seu lado, reafirma a autoridade, indicando como as relações pessoais (e as práticas hierárquicas) podem, a qualquer momento, superar a lei. Pois como não saber com quem se fala numa sociedade de pessoas, onde todos se ligam com todos? E como não ter compaixão do cidadão humilde, quando ele apela para a sua humanidade diante de uma lei ou norma inflexível e muitas vezes injusta?

Vista nos seus aspectos sociológicos, a malandragem é uma variante do "jeitinho" e do "você sabe com quem está falando?", constituindo-se como uma outra forma de navegação social. O malandro, portanto, seria um agente profissional do "jeitinho" e da arte de sobreviver nas situações mais difíceis: aquelas nas quais ele está claramente fora ou longe da lei. Na malandragem também temos esse relacionamento complexo e criativo entre o talento pessoal e as leis que engendram o uso de "expedientes", de "histórias" e de "contos do vigário", artifícios com um alto apelo pessoal que nada mais são que modos engenhosos de tirar partido de certas situações, usando o argumento da lei ou da norma que vale para todos, como ocorre no conto da venda do bilhete de loteria premiado pela quarta parte do seu valor integral.

Esse "conto do vigário" é armado e torna-se convincente, precisamente pelo uso desonesto das listas oficiais da loteria (que estampam o prêmio) e pelos deveres de parentesco, que obrigam, na história do malandro, a uma viagem inesperada, donde a necessidade de vender um bilhete premiado. Nessa narrativa, nota-se a mesma conjunção entre a impessoalidade da loteria e da sorte e a pessoalidade das relações pessoais que se dão em vários níveis. A malandragem do conto do vigário, portanto, combina, tal como o "jeitinho" e o "você sabe com quem está falando?", pessoalidade e impessoalidade, realizando uma passagem idêntica do anonimato à intimidade. O malandro, diferentemente do bandido, rouba com "jeito", invocando simpatia, empatia e laços humanos.

Ao lado do malandro, e como o seu oposto social, temos a figura do despachante, esse especialista em entrar em contato com as repartições oficiais para a obtenção de documentos que normalmente implicam as confusões que mencionei linhas antes, ao descrever o "jeitinho". Podemos compreender a enorme importância do despachante como figura social quando nos damos conta da nossa dificuldade brasileira em juntar a lei com as práticas sociais mais corriqueiras.

Como o despachante conecta coisas pessoais com ambientes impessoais, onde o requerente não é conhecido (mas o despachante é), ele lembra a figura do padrinho. Como tal, ele guia seus clientes pelos estreitos e perigosos meandros das repartições oficiais, fazendo com que seus "papéis" sigam o caminho certo e não fiquem "parados" ou "engavetados" na mesa de algum burocrata. A diferença é que o despachante é um padrinho para baixo. Digo para

53 O que é o Brasil?

baixo porque as classes média e alta no Brasil têm verdadeira aversão ao anonimato e à impessoalidade que encobre seus nomes de família e sua autoatribuída importância. Uma pessoa que se julga importante não pode admitir ser tratada como um igual e enfrentar uma fila desmoralizante sem ser reconhecida por ninguém. Daí a contratação do despachante, que realiza profissionalmente aquilo que normalmente é resolvido pelo "jeitinho" ou "pelo "você sabe com quem está falando?". Por tudo isso, não há no Brasil quem não conheça a malandragem, que não é só um tipo de ação concreta situada entre a lei e a plena desonestidade, mas é, sobretudo, uma atitude ou postura social, uma forma ou estilo de usar as contradições entre a sociedade e as leis para tirar vantagem em tudo.

A possibilidade de agir como malandro se dá em todos os lugares, mas há uma área onde ela é privilegiada. Refiro-me à região do prazer e da sensualidade, zona onde o malandro se confunde com o boêmio – como sujeito especializado em levar uma boa vida. Em desfrutar a existência que permite desejar o máximo de prazer e bem-estar, com um mínimo de trabalho e esforço. Como expressão de um valor, o malandro é, então, conforme tenho acentuado em meus estudos, uma personagem nacional. Ele encarna um papel social que está à nossa disposição para ser vivido no momento em que acharmos que a lei pode ser esquecida ou até mesmo burlada com classe ou jeito, sem o uso da violência e sem chamar a atenção.

Roberto DaMatta 54

No Brasil, podemos ser "caxias" ou autoritários, encarnando personagens que querem cumprir as leis; podemos ser renunciantes e beatos que desejam estar fora do mundo; e podemos também ser malandros e jeitosos, políticos hábeis e sagazes, quando não afrontamos a lei, preferindo dobrá-la ou driblá-la, como fazem os jogadores de futebol que tanto admiramos.

Confirmando a importância da malandragem como modo de navegação social, temos grandes arquétipos de malandros. Figuras que desenharam como ninguém o papel e o tipo. Gente como Pedro Malasartes, que foi capaz de realizar uma série de transformações impossíveis ao homem comum. Como a de superar a exploração econômica e política do seu trabalho, condenando o fazendeiro que o espoliava; e a de transformar a imobilidade da miséria na qual fora criado numa venturosa vida individualizada de viajante sem pouso ou casa, situação de onde se pode tirar partido de tudo.

Conforme acentuo no meu livro *Carnavais, malandros e heróis*, Pedro Malasartes foi também capaz de proezas incríveis, como explorar os ricos, vender merda como se fosse riqueza e levar a honestidade ao meio de pessoas desonestas. Suas aventuras revelam que a vida contém sempre o bom e o mau. O humano e o desumano estando misturados de modo irremediável em todos e tudo. Sua mensagem mais profunda talvez seja a demonstração de que é preciso tomar consciência desses dois lados para poder levar uma vida digna.

55 O que é o Brasil?

No Brasil, portanto, a malandragem não é uma trivial revelação de cinismo e de gosto pelo grosseiro e pelo desonesto. É muito mais que isso. É um estilo profundamente original e brasileiro de viver e, às vezes, de sobreviver, num sistema em que a casa nem sempre fala com a rua e as leis que governam a vida pública nada têm a ver com as boas regras da moralidade costumeira que orientam a honra, o respeito e, sobretudo, a lealdade que devemos aos amigos, aos parentes e aos compadres. Num mundo tão profundamente dividido, a malandragem e o "jeitinho" promovem uma esperança de conciliação harmoniosa e concreta. Esta é a sua importância, este é o seu aceno. Aí está a sua razão de existir como valor social.

Isso tudo, aliás, está bem de acordo com o que nos disse Pero Vaz de Caminha, no finalzinho de sua carta histórica, fundadora do nosso modo de ser, depois de dar ao rei as maravilhosas notícias da terra brasileira. Ali, naquele pedaço terminal e naquela hora de arremate, Caminha arrisca, malandramente, o seguinte: "E nesta maneira, Senhor, dou aqui a Vossa Alteza conta do que nesta terra vi. E, se algum pouco me alonguei, Ela me perdoe, pois o desejo que tinha de tudo vos dizer, mo fez por assim pelo miúdo. E pois que, Senhor, é certo que, assim neste cargo que levo, como em outra qualquer coisa que de Vosso serviço for, Vossa Alteza há de ser de mim muito bem servida, a Ela peço que, por me fazer graça especial, mande vir da Ilha de São Tomé a Jorge de Osorio, meu genro – o que dela receberei em muita mercê." E conclui, seguindo o nosso melhor figurino de malandragem: "Beijo as mãos de Vossa Alteza. Deste Porto Seguro de Vossa Ilha de Vera Cruz, hoje, sexta-feira, primeiro dia de maio de 1500. Pero Vaz de Caminha."

Será que é preciso dizer mais alguma coisa?

Os caminhos para Deus

Nós, brasileiros, marcamos certos espaços como referências especiais. A casa, onde moramos, comemos e dormimos, a rua, onde trabalhamos e lutamos pela vida. Mas a esses espaços, onde convivemos com parentes, amigos e colegas de trabalho, devemos somar um outro, não menos referencial e crítico. Quero referir-me ao espaço do "outro mundo", essa área demarcada por igrejas, capelas, ermidas, terreiros, centros espíritas, sinagogas, santuários, oratórios, templos, cemitérios e tudo aquilo que faz parte e sinaliza as fronteiras entre o mundo em que vivemos e esse "outro mundo" onde, um dia, também iremos habitar. Esse universo nebuloso habitado por mortos, fantasmas, almas, santos, anjos, orixás, deuses, Deus, a Virgem Maria e Jesus Cristo, para onde todos vão e de onde ninguém retorna... ou pelo menos não retorna com facilidade.

Se na casa e na rua utilizamos o idioma do dinheiro e a linguagem das emoções, das leis, da malandragem, da comida, do amor, dos favores e das coisas deste mundo, no universo da religião estamos muito mais interessados em conversar com Deus, com os santos, com a Virgem Maria, com o Nosso Senhor Jesus Cristo e com toda a legião de entidades que ali habitam.

Aqui, há um outro modo de relacionamento. Em vez de discursar, rezamos; em vez de ordenar, pedimos; em vez de simplesmente falar, como fazemos habitualmente, conjugamos a forma da mensagem com seu conteúdo, suplicamos; em vez de comprar, sacrificamos (fazemos oferendas, despachos e promessas) sem pensar em economia e muito menos em lucro. O modo de comunicação com o além e seus habitantes, assim, é formalizado e suplicante. Feito de preces, rezas, oferendas e discursos onde se acentuam a cândida sinceridade, a honesta súplica, a nobre humildade e, naturalmente, a formidável promessa de renunciar ao mundo, com suas pompas e honras.

Existem formas solitárias e solidárias de falar com o "outro mundo". Coletivamente, o modo mais comum é através da cantoria, onde a prece ritmada aglomera todos os pedidos que devem "subir" aos céus levados pelas harmonias das vozes que a entoam. Tudo de acordo com o modo de conceber o espaço cósmico que tem, na linha vertical e hierarquizada que relaciona o céu com a terra e o alto com o baixo, algo dominante e crítico. No "alto" se localiza tudo que é superior, tudo que é removido da vida comum e tem mais poder, além de ser mais nobre e mais forte. O "baixo" é a terra em que vivemos: vale de lágrimas onde sofremos, trabalhamos e finalmente morremos. A reza, a festividade religiosa, as oferendas e o canto propiciatório coletivo são meios de se chegar até essas regiões superiores, ligando o aqui e agora com o além e o infinito.

59 O que é o Brasil?

O povo brasileiro, marcado pela hierarquia e habituado a lidar com verticalidades, sabe que existem modos fortes e fracos de comunicação com o "outro mundo". Em geral, todas as formas que implicam o envolvimento da maioria dos sentidos seriam mais irresistíveis aos santos, deuses e espíritos do que as modalidades em que apenas um sentido está envolvido. As formas individuais, por sua vez, seriam normalmente as mais fracas, embora a situação de súplica, bem como a fé, a esperança e a caridade de cada um sejam elementos importantes para a devida mobilização da divindade.

Do mesmo modo, as súplicas acompanhadas de objetos, na forma de promessas, oferendas e sacrifícios, são mais fortes que um simples pedido verbal, pois implicam um cometimento mais denso e dramático, às vezes exigindo o gasto de recursos tirados da economia doméstica e pessoal do ofertante. Além disso, a promessa (e o sacrifício que ela exprime) é um pacto que obriga os dois lados a alguma ação positiva no sentido de resolver o problema apresentado. Se peço uma graça e, em seguida, faço o sacrifício de ofertar algo precioso à divindade de minha devoção, a lógica sacrificial, como mostrou Mauss – fundada, como a do presente, na reciprocidade –, faz com que a divindade se obrigue a resolver o meu problema, atendendo à minha súplica.

Tudo indica que o santo atende melhor e reconhece mais claramente o esforço dos mortais quando o pedido se faz de modo solene e respeitoso, com algum formalismo.

As rezas e os pedidos, assim, "sobem" melhor quando há um sinal visível de comunicação com o alto; algo que cristalize essa ligação, como o incenso ou as luzes das velas queimando...
Mas por que se fala com Deus? As respostas são muito variadas. Um fator sociológico básico é que existe a necessidade de construir esse grande espelho chamado religião para promover o sentimento de comunhão com o universo como um todo. A religião seria o modo mais inclusivo de promover uma relação globalizada não só com os deuses, mas também com todos os homens e com os seres (animados e inanimados) do universo. De certo modo, essa totalização faz com que natureza, sociedade e sobrenatural fiquem todos dentro do mesmo círculo, acabando com todas as diferenças. Também pensamos na religião como um meio de explicação para os infortúnios – as coincidências negativas (como acidentes e doenças) –, pois a religião pode explicar por que uma pessoa ligada a nós ficou doente, sofreu um acidente fatal ou é vítima indefesa e gratuita de desesperadora aflição. A religião, neste sentido, apresentaria a possibilidade de resgatar a indiferença do mundo, e das coisas do mundo, relativamente à nossa consciência e à sua necessidade de dar um sentido preciso a tudo, ordenando a vida e as relações entre as coisas da vida.

Falamos também de religião quando estamos pensando no modo pelo qual a sociedade precisa legitimar ou justificar a sua organização, a sua maneira de ser e os seus estilos de fazer. Assim, a religião pode explicar por que existem ricos e pobres, fortes e fracos, doentes e sãos, dando sentido às diferenciações de poder. Do mesmo modo que há uma diferenciação no céu, haveria também uma diferenciação na terra, muito embora, aos olhos do Criador, todos sejam singulares e amados igualmente.

Em todos esses sentidos, a religião serve para explicar – e certamente o faz de modo mais satisfatório que a filosofia ou a ciência – por que há sofrimento, doença, calamidade, injustiça e aflição neste mundo. Mais: ela pode até mesmo dizer por que certa pessoa está sofrendo o que sofre, o que não deixa de ser enorme consolo para quem vive e acompanha a aflição. Num certo sentido, portanto, a religião oferece respostas a perguntas que, rigorosamente, não podem ser respondidas pela ciência ou pela tecnologia.

Além disso, a religião ajuda a fixar momentos importantes da vida social, ajudando a inventar um tempo e espaços especiais. Nascimentos, batizados, crismas, aniversários, comunhões, casamentos, funerais, posses de cargos públicos, mudanças de calendário, declarações de paz (ou de guerra), novos momentos históricos, inaugurações de novos edifícios etc. – todos os momentos que assinalam dramaticamente uma crise de vida e uma passagem na escala da existência social – são marcados pela presença da religião (ou de alguma forma de discurso transcendental), que legitima com o aval divino, sobrenatural ou ideológico, a passagem que se deseja necessária e algo que esteja inscrito de forma perpétua ou eterna.

Essas formas de marcar entradas e saídas, inaugurações e fechamentos são dramáticas, exigindo ritos especiais e mediadores especiais. Tal como acontece no nosso conhecido ritual do batismo, em que a criança entra na Igreja Católica e, ao mesmo tempo, na sociedade, ganhando simultaneamente "pais adotivos" que reforçam, como padrinhos, suas obrigações como ser social. Embora a criança seja concebida por genitores (os seus pais biológicos), há uma exigência de padrinhos (ou pais sociais) para que ela possa penetrar no cerne da vida social, o que, no mundo católico, se realiza através da Igreja e do ritual apropriado do batismo. O mesmo ocorre num casamento, em que também existem padrinhos – mediadores – marcando e indicando que a cerimônia é algo público, algo definitivamente social.

Todos esses aspectos formam aquilo a que chamamos religião num sentido amplo. A palavra vem do latim e tem, no sentido original, a ideia de laço, aliança, pacto, contrato e relação que deve nortear os elos entre deuses e homens e, por isso mesmo, dos homens entre si. Mas, além desses aspectos, a religião é um modo de ordenar o mundo, facultando nossa compreensão para coisas muito complexas, como a ideia de tempo, de eternidade, perda e desaparecimento, esses mistérios perenes da existência humana. Pode-se dizer, nessa perspectiva, que o homem é o único ser que tem consciência de sua própria morte e, por isso mesmo, tem enorme e definitiva necessidade de domesticar o tempo e de problematizar a finitude e a eternidade.

63 O que é o Brasil?

Mas como se chega a Deus no Brasil? Como em outros países, temos uma religião formadora e dominante, o Catolicismo Romano, que até bem pouco tempo (1890, para ser preciso) foi oficial. Mas, a despeito das pressões sociais negativas contra as outras religiões, o Catolicismo não reinou só, tendo sido acompanhado, a despeito das pressões sociais negativas, de outras formas de culto a ele referidas, mas que dele se diferenciavam por meio do culto, da teologia, do tipo de sacerdócio e de crenças e práticas gerais.

A variedade de experiências religiosas brasileiras é assim, ao mesmo tempo, ampla e limitada. É ampla porque, ao Catolicismo Romano e às várias denominações Protestantes, somam-se outras variedades de religiões ocidentais e orientais, além das variedades brasileiras de cultos de possessão, cuja tradição exprime uma constelação variada de valores e concepções. De um lado, existe incontestavelmente a África dos escravos, com seus terreiros, tambores, idiomas secretos, orixás e ritos de sacrifício, onde o observador fica chocado pela corporificação das crenças e ritos. Do outro, há o Espiritismo Kardecista, em que o culto dos mortos é uma forma dominante e o ritual se faz sem cantos nem tambores.

Se nas chamadas religiões afro-brasileiras e no Espiritismo a relação e o culto dos mortos, o contato com os deuses (orixás) são algo rotineiro, se entre a Umbanda e o Kardecismo existem também crenças em encarnação e na teoria do Karma (que vem da Índia), há igualmente diferenças entre todas essas formas, já que na Umbanda o contato é muito mais com os deuses do que com os espíritos desencarnados dos mortos. Por outro lado, o Espiritismo considera-se codificado e com uma clara dimensão científica, ao passo que a Umbanda é uma religião sem codificação e com uma teologia aberta a muitas variações. Apesar dessas diferenças, contudo, a variedade é limitada, porque essas formas todas coexistem tendo como ponto focal a ideia de relação e a possibilidade de comunicação entre homens e deuses, homens e espíritos, homens e ancestrais. Ou seja: em todas as formas de religiosidade vigentes no Brasil, salvo raras exceções, há uma enorme e densa ênfase na relação entre este mundo e o outro, de modo que a domesticação da morte e do tempo é elemento fundamental em todas essas variedades ou jeitos de se chegar a Deus.

Confirmando isso, a forma pela qual essa comunicação se realiza é sempre através de um elo pessoal. Nós, brasileiros, temos intimidade com certos santos que são nossos protetores e padroeiros. São os nossos santos-patrões, do mesmo modo que temos com certos orixás ou espíritos do além, que são nossos protetores. A relação pode ter uma forma diferenciada, mas a lógica é a mesma. Em todos os casos a relação é pessoal, fundada na simpatia e na lealdade dos representantes deste mundo e do outro. Somos fiéis devotos de santos católicos e também cavalos de santo de orixás, e com cada um deles nos entendemos muito bem pela linguagem direta da patrona-

65 O que é o Brasil?

gem, das oferendas-sacrifício ou do patrocínio místico – por meio de preces, promessas, oferendas, despachos, súplicas e obrigações que, a despeito de diferenças aparentes, constituem uma linguagem ou código de comunicação com o além que é obviamente comum e brasileiro.

Do mesmo modo que temos pais, padrinhos e patrões, temos também entidades sobrenaturais que nos protegem e podem pertencer a tradições religiosas divergentes. O que para um norte-americano calvinista, um inglês puritano ou um francês católico seria sinal de superstição e até mesmo de cinismo ou ignorância, para nós é um modo de ampliar as nossas possibilidades de proteção. É também, penso, um modo de enfatizar essa enorme e comovente confiança que temos na eternidade e na vida. O que mais chama minha atenção nessas experiências religiosas é que elas são todas complementares e não, como ocorreu com a Europa ocidental e com os Estados Unidos, mutuamente excludentes. O que uma delas fornece em excesso, a outra economiza ou nega; o que uma permite, a outra pode proibir; o que uma intelectualiza, a outra traduz num código de sensual devoção. Pois também na religião nós, brasileiros, buscamos o ambíguo e a relação.

Se a Igreja Romana costura e dá sentido ao mundo e às experiências humanas pelo seu ângulo externo e formal, sendo acionada para legitimar importantes crises de vida, como o casamento, o batizado, o nascimento e a morte – pois o Catolicismo é uma forma básica e até mesmo "oficial" de religião, marcando talvez o lado impessoal de nossas relações com Deus –, ela não exclui formas mais pessoais de ligação com o outro mundo. Formas e estilos, vale destacar, que são tão populares quanto o milagre que rotineiramente seus cultos realizam.

Pois o que é o milagre senão uma resposta direta dos deuses a uma súplica desesperada dos homens, na forma de um atendimento pessoal, corporificado e intransferível? O milagre é prova de um ciclo de troca que envolve pessoas e entidades sobrenaturais. Essa pessoalidade existente no catolicismo popular e nas outras religiosidades brasileiras manifesta-se, no seu plano limite, na possessão do médium pelo santo, quando o deus deixa-se corporificar na pessoa do seu cavalo.

Em vez de opor a religião popular à religião oficial, ou erudita, será melhor entender que suas relações são complementares. Como as vertentes de um mesmo rio. As formas religiosas mais prestigiosas e legitimadas, como o Catolicismo e as formas mais estabelecidas de Protestantismo, contêm tudo o que pode legalizar e legitimar, atuando a partir de fora. Mas as religiosidades populares detêm o monopólio das emoções (e do sofrimento em estado bruto), atuando por dentro. Nessa modalidade, sentimentos e ideias ligam-se em dramas visíveis e concretos, muito diferentes das formas eruditas de religiosidade, onde o culto salienta uma comunicação disciplinada e oficial com a divindade. Num caso, a relação com Deus é, por assim dizer, "limpa" e distante: trata-se de uma comunicação educada. No outro, a comunicação é sensível, concreta e dramática.

67 O que é o Brasil?

O milagre é a não exclusão de qualquer dessas formas como necessárias à vida religiosa. Mas a adoção de ambas como modos legítimos de se chegar a Deus.

Assim, se no Natal vamos sempre à Missa do Galo, rompemos o Ano-Novo na praia, vestidos de branco, festejando o nosso orixá ou recebendo os bons fluidos. Somos todos mentirosos? Claro que não! Somos, isto sim, profundamente religiosos.

Pois se o mundo real da modernidade e do politicamente correto exige um comportamento coerente e uma conduta marcada pela exclusividade (não posso ter dois sexos, nem duas mulheres, nem duas cidadanias, nem dois partidos políticos ao mesmo tempo...), no caminho para Deus, e na relação com o outro mundo, posso juntar muita coisa. Nele, posso ser católico e umbandista, devoto de Ogum e de São Jorge. Posso juntar, somar, relacionar coisas que tradicional e oficialmente as autoridades apresentam como diferenciadas e separadas. Tudo aqui se junta e se torna sincrético, revelando talvez que, no sobrenatural, nada é impossível.

A linguagem religiosa do nosso país é uma linguagem da relação e da ligação. Um idioma que busca o meio-termo, o meio caminho, a possibilidade de salvar todo o mundo e, em todos os lugares, encontrar alguma coisa boa e digna. Uma linguagem, de fato, que permite a um povo destituído de muita coisa, que não consegue comunicar-se com seus representantes legais, falar, ser ouvido e receber os deuses na sua própria casa e em seu próprio corpo.

Somos um povo que certamente acredita mais no outro mundo do que num Deus autoritário e justiceiro, dono de mandamentos estanques e excludentes. E o outro mundo brasileiro é um plano onde tudo finalmente faz sentido. Lá, não haveria sofrimento, poder, miséria e, sobretudo, impessoalidades e anonimatos desumanos. Todos seriam reconhecidos como pessoas e, ao mesmo tempo, leis universais – como a lei da generosidade e a do eterno retorno: quem dá recebe e quem faz algum mal recebe de volta esse mal – seriam válidas para todos. Todos teriam valor, porque o valor não seria dado pela educação, pelo dinheiro, pelos títulos, pela idade ou pelo sexo, mas pela fé e a sinceridade de cada um e de todos.

O outro mundo tem muitas formas e são vários os caminhos de se chegar até ele no Brasil. Mas, por detrás de todas as diferenças, sabemos que lá, nesse céu à brasileira, é possível uma relação equilibrada de todos com todos. Esta, pelo menos, é a esperança que se imprime nas formas mais populares de religiosidade...

Palavras finais

Seria possível concluir um livro cuja motivação maior foi sugerir uma leitura do Brasil? Claro que não. Seria possível, por outro lado, alinhavar certas lições que o caso brasileiro ensina? Algo como a busca de uma ética para essa "história" que contamos brevemente nas páginas anteriores? É claro que sim.

Ao longo deste texto, demonstramos que a sociedade brasileira não poderia ser entendida de modo unitário, na base de uma só causa ou de um só princípio social. Ao contrário, o melhor modo de interpretá-la seria destacando esferas, domínios e espaços sociais demarcadores de sua sociabilidade. Não se pode compreender o Brasil apenas pela casa-grande ou pela vida em família, como ele também não pode ser lido apenas pelo universo da economia, das leis e do seu mundo público em geral. Valores vindos da área religiosa seriam igualmente importantes, mas eles não teriam o mesmo vigor interpretativo da "ética protestante" para o caso americano e do capitalismo de modo geral, na grandiosa demonstração do sociólogo alemão Weber.

Tom Jobim dizia, com justa razão, que "o Brasil não era para principiantes", justamente porque os ingênuos acham que ele pode ser reduzido a apenas uma de suas dimensões quando, de fato, nossa sociedade é muito mais complexa, requerendo uma orquestração de muitos domínios para ser melhor entendida.

Digo que a chave para essa interpretação é a complementaridade e a relação. Se há, pois, uma lógica, essa lógica se faz presente na nossa ânsia de ligar a casa com a rua, o carnaval com a Semana Santa, a lei com as pessoas, o homem com a mulher e este mundo com o outro. Esta seria a lógica que, no campo da política, aparece com o nome de negociação e conciliação; que no mundo econômico surge na curiosa combinação de uma economia que se quer controlada e de mercado; que na religião aparece com a intrigante mistura de Catolicismo com religiões de possessão afro-populares; e que na cosmologia em geral – e eu penso em heróis como Pedro Malasartes, Dona Flor, João Grilo e Augusto Matraga – engendra personagens intermediários, gente que permite a conciliação de tudo o que a sociedade mantém irremediavelmente dividido.

Por que é assim? Minha resposta diz que o Brasil é uma sociedade interessante porque contém uma ambiguidade de raiz. Ela é moderna e tradicional. Combinou, no seu curso histórico e social, o indivíduo e a pessoa, a família e a classe social, a religião e as formas econômicas mais modernas. Tudo isso deu nascimento a um sistema com espaços internos muito bem divididos e que, por isso mesmo, não permitem qualquer código hegemônico ou dominante. Conforme tive a oportunidade de mostrar, so-

71 O que é o Brasil?

mos uma pessoa em casa, outra na rua e ainda outra no outro mundo.

Mudamos obrigatoriamente dentro desses espaços, porque em cada um deles somos submetidos a valores e visões de mundo diferenciados, que permitem uma leitura especial do Brasil como um todo. A esfera de casa inventa uma leitura pessoal e particular; a da rua, uma leitura impessoal e universal. Já a visão pelo outro mundo é um discurso conciliador e fundamentalmente dadivoso, voltado para a renúncia e esperançoso. Entre essas três esferas – casa, rua e outro mundo – criamos pontes e passagens. São as nossas festas e a nossa moralidade, que, vimos, se fundam na verdadeira obsessão pela ligação.

Mas qual é, afinal, a moral desta história?

Não é preciso ir muito longe para apreciá-la. A História do Brasil tem mostrado como sempre insistimos em "ler" e interpretar o país pela via exclusiva da linguagem oficial falada no espaço da rua, espaço das nossas instituições públicas e que sempre apresenta um discurso politicamente sedutor, elitista e sistematicamente normativo. Desse ponto de vista, a fala sempre diz o que e como fazer para resolver a questão ou o Brasil. Receitar para o Brasil, legislar e formular planos para o Brasil é o que temos feito em toda a nossa História moderna, a partir da independência e da República.

Mas por que as coisas não dão certo?

Só Deus pode saber isso precisamente. Mas a visão antropológica, da qual este ensaio é um pequeno exemplo, permite que se discutam algumas dimensões importantes para que essa questão seja satisfatoriamente respondida. É possível, por exemplo, argumentar que nada pode dar certo se a crítica social e política é sempre incompleta, pois só leva em consideração um lado da questão. Realmente, como se pode corrigir o mundo público brasileiro mudando apenas as leis e a organização do Estado? Se não se faz simultaneamente uma séria crítica da influência e do poder das redes de amizade e compadrio que ensopam toda a nossa vida política, institucional e jurídica?

Nossa sugestão é que à crítica prática que fala com o idioma da economia e da política pela perspectiva do mundo da rua seja somada a linguagem da casa e da família e, com ela, o idioma dos valores religiosos que também determinam grandemente o comportamento profundo do nosso povo. No fundo, a proposta é somar as receitas do mundo público com o estudo crítico das relações pessoais. Pois só somando (e não subtraindo, como sempre tendemos a fazer) a casa, a rua e o outro mundo ganharemos uma perspectiva adequada para compreender e mudar o Brasil.

Ao lado disso, seria necessário resgatar como uma dimensão altamente positiva, como patrimônio realmente invejável, toda essa nossa capacidade de sintetizar, relacionar e conciliar, criando áreas e valores ligados à alegria, ao futuro e à esperança. Num mundo que cada vez mais se desencanta consigo mesmo e institui um individualismo sem limites, que reduz os valores coletivos a mero apêndice

73 O que é o Brasil?

da felicidade pessoal e do mercado, a capacidade de deslumbrar-se com a sociedade é algo muito importante e positivo. E aqui, sem dúvida, podemos novamente sintetizar, de modo criativo e relacional, o indivíduo com as suas exigências e direitos fundamentais, com a sociedade, com a sua ordem, seus valores e necessidades.

Talvez a sociedade brasileira seja missionária dessa possibilidade que vai se esgotando no mundo ocidental. Digo missionária porque somos pioneiros no reconhecimento da ambiguidade como um elemento crítico de qualquer sociabilidade. Pois se descobrimos e adotamos o individualismo e o mercado, bem como as tecnologias que permitem criar mais riqueza, não nos esquecemos de um universo relacional, festivo e caseiro, que também tem o seu lugar.

Assim, em vez de termos aquele célebre combate ocidental do Carnaval contra a Dona Quaresma, do qual o primeiro saiu como perdedor, teríamos um caminho entre a técnica, o individualismo, o mercado e essa modernidade fundada nos direitos individuais e em tudo o que vem de casa. Nem tanto o desencanto crítico que conduz a um primado cego do individualismo como valor absoluto; e nem tanto o primado igualmente cego da sociedade e do coletivo, que esmaga a criatividade humana e sufoca o conflito e a chama das contribuições pessoais. Talvez algo no meio. Algo que permita ter um pouco mais da casa na rua e da rua na casa. Algo que permita ter aqui, neste mundo, as esperanças que temos no outro. Algo que permita fazer do mundo diário, com seu trabalho duro e sua falta de recursos, uma espécie de carnaval que inventa a esperança de dias melhores. Acho que é um pouco desse tipo de reflexão que nos falta. E, para que ela possa ser ampliada, discutida, corrigida e finalmente implementada como mecanismo social, precisamos realizar a crítica destemida de nós mesmos, por meio de instrumentos suficientemente agudos e capazes. Para tanto, será preciso sempre perguntar: afinal de contas, o que é o Brasil? E, em seguida, promover – desconfiando – uma resposta. Pois não foi outra coisa que quisemos realizar aqui.

junho 2003

Este livro foi impresso na JPA Ltda.
Av. Brasil, 10.600 – Rio de Janeiro – RJ
para a Editora Rocco Ltda.